ORFF-SCHULWERK

Gunild Keetman

Erstes Spiel am Xylophon

ED 5582

ISMN 979-0-001-06242-8

www.schott-music.com

Mainz · London · Berlin · Madrid · New York · Paris · Prague · Tokyo · Toronto

EINFÜHRUNG

Die Stabspielübung ist für den ersten Unterricht in Kindergarten und Grundschule und zum Musizieren im Haus gedacht. Hier können Eltern mit ihren Kindern oder Kinder miteinander spielen.

Die Stücke eignen sich am besten für Altxylophon, bzw. für Sopran- und Altxylophon, doch können auch Glockenspiele und in manchen Fällen, die besonders angegeben sind, Metallophon oder klingende Gläser verwendet werden. Allen Liedern und Spielstücken liegt eine auf c aufgebaute pentatonische Skala mit den Tönen

zugrunde. Es ist daher zweckmäßig, die f- und h-Stäbe nicht aufzulegen. Dadurch ergibt sich eine für das Kind leicht überschaubare Gliederung der Spielfläche, die schnelle Orientierung ermöglicht.

Die Stabspiele können im Sitzen oder Stehen gespielt werden. Die Spielfläche sollte beim sitzenden Kind etwas über Kniehöhe (waagrechte Oberschenkel, die Füße müssen mit der ganzen Sohle den Boden berühren können), beim stehenden ungefähr in der Körpermitte sein.

Gelöste Körper- und Armhaltung (Ellbogen nicht an den Körper pressen) und federnder Anschlag mit beweglichen Handgelenken in der Mitt des Stabes sind Voraussetzungen für einen guten, klingenden Ton. Auf gleichmäßige Höhe des Abfederns in beiden Händen ist zu achten, harter und zu lauter Anschlag ist zu vermeiden. Sensibles Spiel ist immer anzustreben.

Bei abwechselndem Spiel beider Hände ist auf fließenden, unmerklichen Wechsel und auf organischen Ablauf zu achten.

Die Verteilung der Töne auf rechte und linke Hand ist durch auf- bzw. abwärts gestrichene Notenhälse gekennzeichnet: ♩ = rechte Hand   ♩ = linke Hand

Schon mit 4 - 5jährigen kann begonnen werden. In den ersten Zwei- und Dreitonliedern Nr. 1 - 7 spielen die Kinder zunächst die Begleitungen, zu denen der Lehrer die Melodie singt oder spielt; später versuchen die Kinder, die Lieder zu ihren Begleitungen selbst zu singen, dann auch die Liedmelodien zu spielen. Aus den angegebenen Begleitungen in verschiedenen Schwierigkeitsgraden kann der Lehrer jeweils die für die Kinder passenden heraussuchen. Sie sollten darüberhinaus als Grundlage auch für andere einfache, vom Lehrer gesungene oder gespielte improvisierte Melodien verwendet werden.

Es kommen vor in:

Nr. 1 durchgehend gleichzeitiger Anschlag beider Hände mit gleichbleibenden Tönen.

Nr. 2 Wechsel der Begleitung innerhalb des Liedes.
Weitere Begleitungen mit gleichzeitigem Anschlag auf gleichbleibenden Tönen und auf wechselnden Tönen in einer Hand.
Abwechselnder Anschlag beider Hände mit gleichbleibenden Tönen.

Nr. 3 Vorspiel mit anderer Begleitung.
Abwechselnder Anschlag mit beiden Händen, mit gleichbleibenden und wechselnden Tönen.

Nr. 4 Vorspiel mit anderer Begleitung.
Öfterer Wechsel der Begleitung innerhalb des Liedes.

Nr. 5 Beidhändige Begleitung in verschiedenem Zeitmaß.

Nr. 6 Parallel- und Gegenbewegung beider Hände mit gleichzeitigem Anschlag.

Nr. 7 Noch einmal beidhändige Begleitung in verschiedenem Zeitmaß, da capo-Form.

Die Spielstücke Nr. 8 - 16 sind vorwiegend aus Teilen auf- und absteigender Skalen gebildet, z. T. unterbrochen durch Tonwiederholungen oder einfache Sprünge. In ihnen kommt es hauptsächlich auf das bewegungsmäßige Erfassen eines Ablaufs an. Die Stücke können, obgleich sie alle Töne enthalten, wegen ihres einfachen Baues schon bald gespielt werden. Sie fördern die manuelle Geschicklichkeit, schulen aber auch gleichzeitig unbewußt das Hören. Auch Punktierungen, wie in Nr. 18 (die Hände müssen „galoppieren") fallen, wenn man von der Bewegung ausgeht, nicht schwer.

Die Lieder Nr. 17 - 21 sowie die Spielstücke 22 - 38 führen in steigenden Schwierigkeitsgraden das Vorangegangene mit den gleichen Mitteln weiter.

In Nr. 39 - 42 werden Parallel- und Gegenbewegungen beider Hände in einfachen Melodien geübt.

Nr. 43 bringt als erste größere Form ein Rondo.

Nr. 44 - 48 beschließen das Heft mit einfachen, aus Skalenausschnitten gebildeten zweistimmigen Kanons.

Neben dem Spielen der gedruckten Lieder und Spielstücke sollten Nachspielübungen (Echospiel) in allmählich wachsenden Tonräumen, angefangen mit der Kuckucksterz ♩♩, sowie das Finden und Erfinden eigener Begleitungen und Melodien nicht vernachlässigt werden.

INTRODUCTION

Exercises for barred percussion instruments are intended for first instruction in kindergarten or elementary school and for music-making activities in the home. Parents can play with their children or children can play with each other.

The pieces are best played on alto xylophone, or soprano and alto xylophone respectively, but glockenspiels can also be used and in many cases, where it is specially suggested, metallophone or musical glasses.

All songs and pieces make use of a pentatonic scale built on C comprising the following notes:

It is therefore expedient to remove the bars for the notes F and B. This makes it easy for the child to take in the shape of the scale and to find its way about it quickly when playing.

The player can either stand or sit. When seated the bars should be just above knee level (the thigh should be horizontal and the whole of the sole of the foot should be able to reach the ground); when standing the bars should be at about waist level.

The arms and trunk should be relaxed (avoid pressing the elbows into the sides) and a bouncing action with flexible wrists, striking the middle of the bars, is necessary for producing a good, ringing tone. Both hands should rebound to the same level and a hard or loud tone should be avoided. The aim should always be towards sensitive playing.

When alternating the hands each change-over should be smooth and imperceptible, the movements forming an organic whole.

The distribution between the right and left hands is indicated by upward and downward pointing note stems: ♩ = right hand ♩ = left hand

It is possible to begin even with four to five year olds. In the first two and three-note songs Nos. 1 - 7 the children first play the accompaniment and the melody is sung or played by the teacher. Later the children can try to sing the songs to their own accompaniments, and then also try to play the melody. The accompaniments given here are graded according to difficulty and the teacher can select those suitable for each child. These accompaniments should further be used as foundations for other simple improvised melodies that are sung or played by the teacher.

Various points are dealt with as follows:

No. 1 The same notes throughout with the hands striking simultaneously.

No. 2 The accompaniment changes during the song. Further accompaniments with the hands striking simultaneously with repeated notes, and with alternating notes in one hand. Hands used alternately with repeated notes.

No. 3 Introduction with a different accompaniment. Hands used alternately with repeated and with changing notes.

No. 4 Introduction with a different accompaniment.
More frequent changes of accompaniment during the song.

No. 5 Accompaniments using both hands ar different speeds.

No. 6 Parallel and contrary motion both hands striking simultaneously.

No. 7 Again accompaniments using both hands ar different speeds - da capo form.

The pieces Nos. 8 - 16 are mainly founded on ascending and descending scales, sometimes interrupted by repeated notes or simple interval jumps. The important thing is the understanding of the shape in terms of movement. Although they use all the notes these pieces, because of their simple structure, can soon be learnt. They promote manual dexterity but at the same time are unconsciously training the ear. Dotted notes, as in No. 18 (the hands must "gallop") are not difficult when approached in terms of movement.

The songs Nos. 17 - 21 and the pieces 22 - 38 make use of previous material gradually increasing the technical difficulties.

In Nos. 39 - 42 parallel and contrary motion in both hands is practised using simple melodies.

No. 43 is a rondo - the first use of a more extended form.

Nos. 44 - 48 bring the book to an end with simple two-part canons formed from scale passages.

In conjunction with the playing of the printed songs and pieces, imitative exercises (echo play) in gradually increasing note ranges, beginning with the cuckoo call 🎵 should be practised. The discovery and invention of original accompaniments and melodies should also not be overlooked.

Weitere Begleitungen

4 Backe, backe Kuchen

Ba - cke, ba - cke, Ku - chen, der Bä - cker hat ge - ru - fen: Wer will gu - ten

oder

Ku - chen ba - cken, der muß ha - ben sie - ben Sa - chen: Ei - er und Schmalz, Zucker und Salz, Milch und Mehl, Sa - fran macht den Ku - chen gehl.

oder

Weitere Begleitungen für die ersten acht Liedtakte

5 Lirum larum Löffelstiel

oder

Li - rum la - rum Löf - fel - stiel, al - te Wei - ber es - sen viel,

jun - ge müs - sen fa - sten, 's Brot liegt in dem Ka - sten.
's Mes - ser liegt da - ne - ben, ei welch lu - stig Le - ben.

Weitere Begleitungen

6 Schneck, Schneck, komm heraus

(eventuell 2 Spieler)

Schneck, Schneck, komm her - aus streck dei - ne vier Hör - ner raus!

Kom-men zwei mit Spie - ßen, wol-len dich er - schie-ßen,
Kom-men zwei mit Ste - cken, wol-len dich er - schre-cken,

kom - men zwei mit Stan - gen,   wol - len dich auf - han - gen.

7 Ringel, ringel Reiha

Ringel, ringel Rei - ha,   sind der Kin-der drei - a,   sit - zen un-term Hol-ler - busch,   schrei-en al - le husch, husch, husch.

Fine

Ruhiger   *p (nur gesungen)*

Sitzt 'ne Frau im Rin - ge-lein mit   sie - ben klei - nen Kin - de - lein. „Was

rit.

es - sen s'gern?" „Fi - sche - lein", „was   trin-ken s'gern?" „Ro - ten Wein."

Weitere Begleitungen

Dal %

8 Spielstücke

* statt der angegebenen Begleitungen können rhythmische Abwandlungen der Begleitungen von Nr. 8 verwendet werden.

10

11

12

Weitere Begleitungen

16

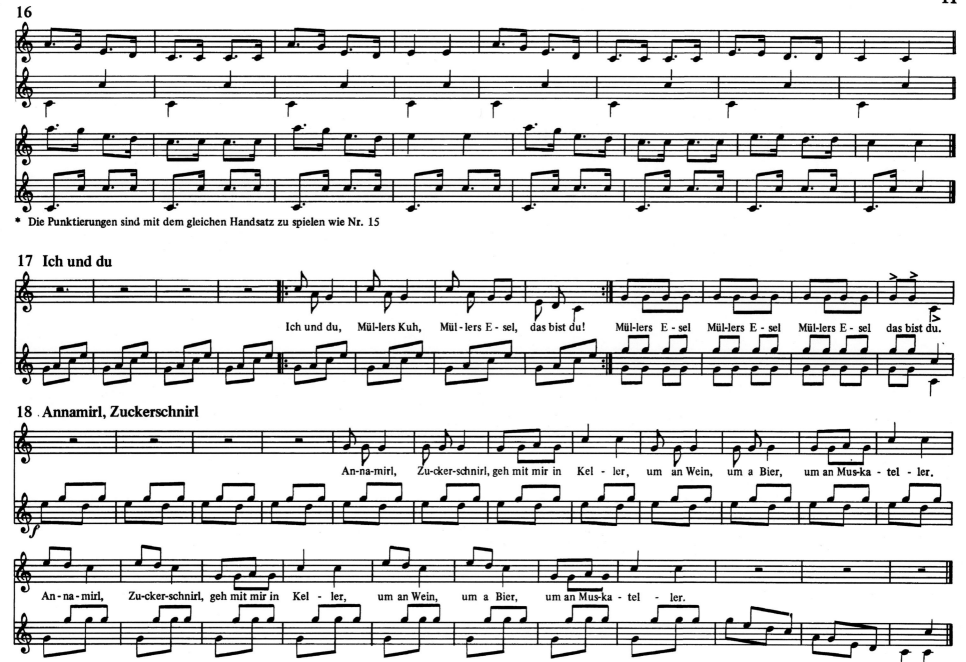

* Die Punktierungen sind mit dem gleichen Handsatz zu spielen wie Nr. 15

17 Ich und du

Ich und du, Mül-lers Kuh, Mül-lers E - sel, das bist du! Mül-lers E - sel Mül-lers E - sel Mül-lers E - sel das bist du.

18 Annamirl, Zuckerschnirl

An-na-mirl, Zu-cker-schnirl, geh mit mir in Kel - ler, um an Wein, um a Bier, um an Mus-ka - tel - ler.

An - na - mirl, Zu-cker-schnirl, geh mit mir in Kel - ler, um an Wein, um a Bier, um an Mus-ka - tel - ler.

12

19 Liebe Sonne, komm gekrochen

Lie - be Son - ne, komm ge - kro - chen, denn mich frierts an mei - ne Kno - chen. Lie - be Son - ne

Alt - Metallophon (Gläser)

Alt - Xylophon

komm ge - rennt, denn mich frierts an mei - ne Händ.

20 Blaue, blaue Wolken

Blau-e, blau-e Wol - ken, Ma - ri - a hat ge - mol - ken sie - ben Küh in ei - nem Stall, Jungfer Ka - tha - ri - na.

Alt - Metallophon (Gläser)

Alt - Xylophon

21 Ene bene Bohnenblatt

E - ne be - ne Boh - nen - blatt, wie - viel Küh sind noch nicht satt? Sie - ben Geiß und ei - ne Kuh, Sankt Pe - ter schlägt die Stall - tür zu, und schmeißt den Schlüs - sel ü - bern Rhein: Mor - gen wird schön Wet - ter sein.

22 Spielstücke

* Gabelgriff: 2 Schlägel in einer Hand

23

28

29

30

31

(2 Spieler)

32

(2 Spieler)

33

Alt - Metallophon (Gläser)

Fine

Dal 𝄋 al fine

Weitere Begleitungen

(2 Spieler)

Fine

D.c.

41

Fine

D. c. al fine

42

43 Drei Rosen im Garten

Drei Ro - sen im Gar - ten, drei Il - gen im Wald, im Som - mer ist's lu - stig, im __ Win - ter ist's kalt.

Der Mül - ler tut mah - len, das Räd - le geht um, mein Schatz ist ver - zür - net, weiß selbst nit, war - um.

D. c. al fine

Fünf kleine Kanons

44

45

46

47

Fine

D. c. al fine

48

* ist jeweils das Zeichen für Kanoneinsatz

Schott Music, Mainz 42 238

INHALT